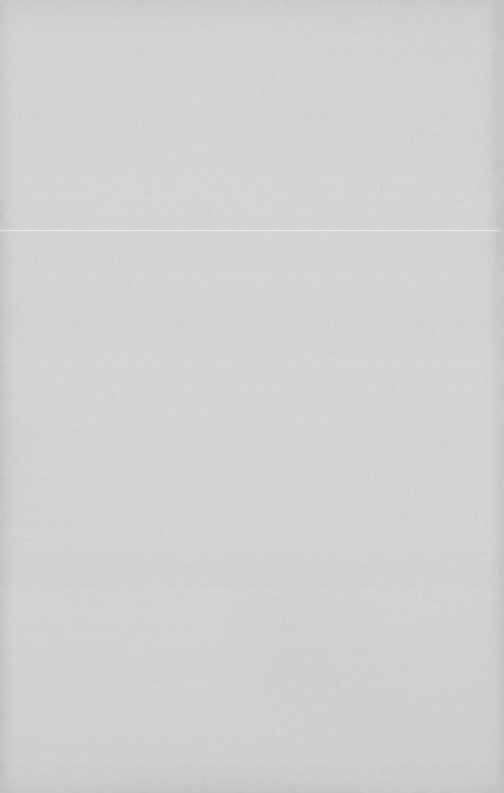

우리 사랑

발 행 | 2024년 07월 25일

저 자 | 유아린

펴낸이 | 한건희

펴낸곳 | 주식회사 부크크

출판사등록 | 2014.07.15(제2014-16호)

주 소 | 서울특별시 금천구 가산디지털1로 119 SK트윈타워
A동 305호

전 화 | 1670-8316

이메일 | info@bookk.co.kr

ISBN | 979-11-410-9720-2

www.bookk.co.kr

우리 사랑

— 정말 미치도록 당신을 사랑한
나의 이야기

지은이: 유아린

[목차]

책을 펼치며…

우리의 뜨거웠던 사랑을
하지만 내가 망쳐버린
우리 사랑을

아니 식어버린 우리 사랑을

조금이나마
추억하고자 싶어
조금이나마
당신에게 좋은 추억으로
선물하고자 싶어

다시 한 번 용기를 내
글을 씁니다

첫 만남_

첫만남

첫만남은 어땠더라
우린 서로에게 관심조차 없었다

아니 사실 난 첫 눈에 반했다
당신은 말도 안된다
항상 그리 말했지만
진심으로 이렇게까지
누군가를 좋아해본 적은 처음이었다

옅은 쌍커풀 찢어진 눈매 귀여운 얼굴

그리고 그 얼굴에 어울리는
당신의 안경이
당신에게서 나는 그 좋은 향기가

나를 홀렸다
다가가고 싶었다
당신에게

다가가기로

망가진 나의 속내를 숨기고
당신에게 다가가고 싶었다

당신을 속이는 일이라며
마음 한 켠에서는
나 자신을 말렸지만

당신에게 다가가고 싶다는 마음이
너무나도 컸다

그래서 당신에게 다가가기로
마음 먹었다

학교에서_

뒷자리

당신의 뒷자리에서 당신의 뒷모습을
당신을 지켜보는게 설렜다

당신이 수업에 집중하는 얼굴
당신이 활짝 웃는 얼굴
당신이 조는 모습
심지어 당신이 자는 모습까지도
너무 좋았다

그러다 쉬는시간에
당신이 책상에 엎드려
곤히 자고있었다

그 모습이 너무나도 사랑스러워
머리를 쓰다듬어줬다
그 모습이 너무나도 사랑스러워
참을 수가 없었다

" 귀여워… "

16

쉬는시간

학교에서 우리는 쉬는시간에도 붙어다녔다
당신이 너무 좋아서 쉬는시간
당신에게 꼭 붙어있었다

" 어디가? "

" 매점 "

" 나도 데려가 ㅎㅎ "

" 그래라ㅋㅋ "

쪽지

학교에서 우리는 수업시간에도 장난을 치곤
했다
당신이 너무 좋아서 수업시간
당신과 장난스런 쪽지를 주고받았다

' 졸지마ㅋㅋ '

' 안졸거든.. '

첫연락_

SNS

당신이 갑자기 SNS로 팔로우를 걸어오고
당신이 갑자기 짧은 인사를 담은
문자를 보내왔다

설렜다

순간 얼굴이 붉어져
얼굴에서 열감이 나는게 느껴졌다
무언가에 집중하다가도
당신의 연락이 오면

' 뚝 '

하고 멈췄다

" 와..나 얼굴 엄청 빨갛네… "

연락

당신의 연락이 없을 때에는
너무나 기다려졌다

당신의 연락이 올 때에는
얼굴에 미소가 띄여졌다

처음 연락해본 사이이지만
오랜 연인이었던 것처럼
우리는 자연스레
길고 길게 연락을 이어나갔다

알면 알수록 당신이 좋았고
알아갈수록 당신을
사랑하고 싶었다

오해_

사이

그렇게 짧은 시간동안
우리는 엄청나게 가까워졌다
이미 알고지내던 사이라
말해도 믿을만큼
우리는 너무나도 잘 맞았다

아니 어쩌면 내가 당신에게
맞춰주고싶었던 것일지도 모른다

그만큼 당신을 엄청나게
좋아했으니까

그렇게 그 날도 여느 때와
다름없이 문자를 주고받았다

들킴

문득 당신이
좋아하는 사람이 궁금해져
진실게임을 하기로 했다

서로가 좋아하는 사람을
알아내기 위해 질문들을 내던졌고
그 질문 끝에
난 벼랑으로 몰려 당신에게
내가 당신을 좋아한다는 사실을
들켜버리고 말았다

' 너가 좋아하는 사람 나야? '

' 몰라….. '

' ㅋㅋㅋㅋ맞나보네? '

' 저리가 몰라 미워 너 '

오해

그렇게 다음 날
당신은 아무런 대답 없이
내게 평소와 같이 장난스런
농담들을 건넸고

그런 당신을 보며
갖고놀아졌다는 생각이 들어
눈물을 흘렸다

눈물을 흘리며 당신에게 되물었다

" 너 어장이잖아.. "

" 무슨 소리야ㅋㅋㅋㅋ
어장인줄 알았어? "

" 응... "

당신은 내가 귀엽다는 듯
웃어댔고
난 당신이 날 가지고 노는 것이
아니라는 사실에 안심했다

우리의 시작

그렇게 계속 이야기를 이어나갔고
더 이상 이렇게 한다면
우리의 시작은 없을 것 같다는
마음에
단도직입적으로 말하였다

"아까 좋아한다고 말했잖아
한 번 더 말해줘? "

" 응 "

" 좋아해 내가 너를 "

" 어 오케이 "

" 그럼 이제 어떡해? "

" 어떡하긴 뭘 어떡해
사귀어야지 사귀자 "

" 응! "

우린 이렇게 사귀게 되었다

조금 어색하게
조금 재밌게

많이 예쁘게
많이 사랑스럽게

처음

당신과 사귄다는 사실에 혼자
난리를 치다가
얼굴이 새빨갛게 달아오른 것은
당신은 몰랐을 것이다

얼굴이 새빨갛게 달아오른 것이
친구들이 무슨 일이냐며
걱정까지 했을 정도라는 것은
당신은 몰랐을 것이다

같은 학교 같은 반_

연애

같은 학교 같은 반에서
연애를 시작한 우리는
불편한 것도 많았지만

매일같이 붙어있을 수 있다는 것이
참 좋았다

사람이 잘 안오는 계단에서는
서로 껴안고 있다거나

학교애서 먹을걸 먹고있을때
서로를 챙겨준다거나

그렇게 우리는 예쁜 사랑을 했다

당신

손을 잡고 손등에 입만 맞추어도
소스라치게 놀라며
부끄러워하는 당신이 참 좋았다

안고만 있으면 좋은 향기가
나를 안심시켜줘
기분을 좋게 만들어주는 당신이 참 좋았다

단 둘이 있을 때에는
나에게만 보여주는 그 애교를
부리는 당신이 참 좋았다

잠에 들게하는 당신의 목소리가
안심시키는 당신의 품이 좋았다

망가짐의 들킴_

망가짐

나의 망가짐을 들켰다
팔의 그림도
마지막 내딛음을 위한 글도
모두 들켜버렸다

하지만 당신은 그런
내 모습까지 사랑해주었다
그런 당신에게 고마웠다

" 괜찮아 내가 도와줄게 괜찮아 "

나의 망가짐을 막아주었다

" 괜찮은 남자 여기있고
친구도 내가 해주고..안되려나..? "

" 아니 해줘 "

" 그래 내가 다 맞춰줄게
너는 네 마음대로 하고싶은거
다 해 "

팔의 그림이 줄어들도록

마지막 내딛음을 위한
글에 대한 생각이 줄어들도록

당신에게 참 고마웠다
그래서
더 사랑했다

첫 위기

당신이 여자관계가 복잡하여
우리가 이별할 뻔 했던 때에도

나의 망가짐까지 안아주는
남자는 당신밖에 없다는 생각에

그런 당신에게 너무 고맙고
당신이 사랑스러워

당신을 이해하려 노력했다

위기_

이별선언

그렇게 예쁘게 연애를 하던
우리였는데

당신이 이별을 고했다
영원할 줄 알았던 우리 사랑은
겨우 4개월만에 끝이 났다

당신이 이별을 고했다
평생을 사랑할 줄 알았던 우리는
겨우 4개월만에 끝이 났다

너와의 이별을 뜻하는 그 선언은
너와의 사랑이 끝남을 뜻하는 그 선언은

나에게 독과 같아서
나를 세상과 단절시키는 것만 같아서
나를 세상과 멀어지게 만드는 것만 같아서

무서웠다

겨우 4개월만에
당신이 없는 일상에 어색해졌다
당신이 있는 일상에 익숙해졌디

너

헤어지고 난 뒤의
웃고있는 네 얼굴은
날 무너뜨리기에 적당했다

울고있는 네 얼굴은
날 절망에 빠뜨리기에 적당했다

너와의 헤어짐은
날 세상과 단절시키기에 적당했고

너와의 이별의 후유증은
날 매말리기에 적당했고

너란 사람에게 받는
가시 박힌 말들은
내 몸과 정신 모두를
망가뜨리기에 적당했다

날 망가뜨리기에 적당했던
우리의 이별은
우리의 연애는
끝이 났다

아니 끝이 났다기보다는
당신의 마음이 4개월만에
식어버렸다

아니 식었다기보다는
당신의 마음이 다른 사람을
향하고 있었다

49

매달림

" 그냥 내 마음이
조금 수그러들 때까지만
딱 그 때까지만

우리 아무도 모르게
조금만 더 사귀다
헤어지면 안될까

내 마음이 정리될 때까지만
그래주면 안될까 "

" 미안 "

" 나 진짜 다 버리고
자존심 다 내려놓고
너 붙잡는거야 "

" 안내려놔도 돼 "

" 제발 붙잡혀줘 "

" 그만해 "

" 끝을 다 알지만
그래서 무서울거 알지만

그냥 모르는 척
그냥 미친 척
다 알지만 하나도 모르는 척
그렇게 한 번만 붙잡혀주면 안될까 "

" 자꾸 붙잡을거야? "

아무 사이

난 더 망가져갔고

그 것을 지켜보기
힘들어한 당신은

헤어지고 난 뒤에도
내가 필요로 할 때면
언제든지 달려와줬다

달려와 나를 품 속에
안아주고
팔을 타고 흐르는 것을
닦아주었다

나에게 따스한 말들을 건네주고
내 눈물을 닦아주었다
그렇게 한 달을 우린

아무 사이도 아니지만
아무 사이도 아닌게 아닌
그런 애매한 관계로 지냈고

당신은 괜찮은 듯 보였다
나는 괜찮지 않았다

그 곳

조금 괜찮아진줄 알았던 나는
조금도 괜찮아지지 않았다

조금도 나아지지 않은 채로
우리가 연애하던 그 자리 그 곳에
우리가 연애하던 그 때에
멈춰 서있다

헤어지던 그 날_

원래

원래 사랑이란 내게 너무나도
쉬운 감정이었다

사람을 깊게
좋아해본 적이 없기에

사귀어도 그만
헤어져도 그만

오고가는 사람들을
붙잡아본 기억이 없다

너는 다른사람들과
뭐가 달랐던걸까

너랑 사귄다는 말에
하루종일 웃음이 났다
너랑 헤어진다는 말에
하루종일 눈물이 쏟아졌다

" 진짜 우리 이렇게 끝나..? "

" ...응 "

사랑은 내게 너무나 쉬웠는데

우리가 헤어지던 그 날
나는 무너졌다

이별_

이별 1일차

현실에서 도망치고싶은 마음에
잠이 많아져
처음으로 늦잠을 잤다

음식 냄새만 맡아도
속이 울렁거려
이틀 내내 끼니를 걸렀다

화장을 할때마다
눈가가 쓰라리고

양치를 할때마다
입 안이 헐어있는 것이 느껴진다

일상이 점점 망가지고 있다
밤낮이 뒤바뀌고

그럼에도 웃고있기에
내가 점점 망가지고 있다

" 보고싶어…. "

" …미안 "

이별 후_

오늘

오늘은 조금
위험했던것 같기도 하다

앞에서 웃고있었던 탓에
뒤에서 더 많이 울었다

걷다가 정신을 잠깐 놓았는지
신호등 한복판에 서있다가
차에 치일뻔했다

울다가 실성한건지
현실을 부정하는건지

자꾸만 주변을 서성이고
너를 안으려했다

정신이 나간것만 같다

새벽에 충분히 많이 울었으니

오늘은 조금 덜 울까 싶었는데

터무니 없는 생각이었나

주변에서 무슨 일이냐고
물어보는데

그 말에 나는
아무말도 못하는데

눈물

사소한 네 행동에
우울했다 기뻤다
얼마나 오락가락 하는지

물을 아무리 마셔도
눈물로 다 뱉어내서

밥을 먹으려 입에 숟가락을 대도
헛구역질부터 나와서

사람들 앞에서는 잘 웃다가도
혼자가 되면 웃지를 못해서

너에게

" 나 오늘은 좀 덜 울었어
한 2시간정도 이것도 많은가 "

" ... "

" 정말 안울려고 했는데 맘대로 안돼

밥도 먹으려고 했는데
혼자 먹으려니까
잘 안넘어가더라

사실 나 요즘 좀 많이 아파
맨날 열 나고 머리도 아프고
살도 많이 빠졌어
뭘 먹으려해도 다 토 해버려
나 아파 "

" 미안 나때문이야 "

" 울면 더 열 나서
울면 안된다는데
자꾸 울게 돼 "

" 미안 "

너에게 하고싶은 말_

끝까지 못난 나는

알지 너도?

난 너처럼 착하지 않아서
난 너처럼 마음이 넓지 않아서

좋은 사람 만나라 그런 말 못해
차인 입장이니까

그냥 아프지만 마
밥도 잘 챙겨먹고
학교도 잘 다니고
주변 사람들이랑도 잘 지내고

그러다 내가 널 잊을 때
그 때 쯤

나만큼만 아파해
나만큼만 우리의 시간을
그리워 해

더도 덜도 말고 딱 나만큼만

그거마저도 없으면
널 미치도록 좋아한 내가
너무 억울하잖아

어땠니

우리의 사랑은 어땠니

나에겐 우리의 사랑이
뜨거운 청춘이었어

너에겐 우리의 사랑이
어두컴컴한 악몽이었니

우리의 사랑은 어떤 형태였니

너에겐 내가 그저 장난감이었겠지
나에겐 네가 너무 소중했어

괜찮다가도 괜찮지 않는
내 마음은

괜찮다고 하기엔
아직 네 얼굴만 봐도 눈물이 나와
아직 너를 안고싶어

안괜찮다고 하기엔
가만히 아무렇지 않게 널 기다리고
가만히 앉아 너를 바라보고 있어

괜찮은지 안괜찮은지
구별이 가지 않을정도로

울었다 웃었다 화도 내

우리의 관계를 망친
나에게 너무 화가 나서

너에게는 참 쉬운 일이

너에게는 쉽게
잊을 수 있는 나지만

나에게는 쉽게
잊을 수 없는 너라서

너에게 참 쉬운 일이
내게는 아니라서

너에게 이미 끝난 관계가
내게는 아니라서

너의 말 한마디에
기분이 결정되었고

너의 말 한마디에
절망과 희망을 오가

네가 행복하길 바라면서도
다른 여자는 만나지 않았으면 좋겠다는
이 마음이
부디
너에게 해가 되지 않았으면 하는 마음이야

당신의 후회가 있기를

엄청 후회할거야 너
살면서 아마 못만날거야

나처럼 너 좋아해주는 사람
나만큼 너 사랑해주는 사람

찾기 어려울걸?
만나긴 더 어려울걸?

나보다 너를 더 좋아하고
나보다 너를 더 사랑하는 사람?
없을거야

나보다 너를 더 아껴주고
나보다 너를 더 소중히하는 사람?
그런 사람도 없을거야

난 그만큼 널 많이 사랑했으니까
난 그만큼 널 많이 좋아했으니까

그니까 평생 후회해 나 놓친거

그래 우리는

우리는 헤어졌다

짧다면 짧고
길다면 긴 시간을
함께한 우리는

일상의 일부가 되어버릴만큼
붙어다니던 우리는

결국 다른 연인들처럼
그저 허무하게 헤어졌다

네 마음이 조금이나마 바뀔까
널 붙잡았지만

바뀌지 않았고 우리의 끝이
더 망가질 뿐이었다

우리 그래도
나름 이쁘게 사귀었다

학원이 끝나면 그 짧은 시간
같이 있으려고 타이밍도 맞춰보고

학교에서는 사람이
잘 안오는 계단에서
몰래 안고있기도 하고

학원이 끝나고의 잠깐이 보고싶어서
날씨가 어떻든 서로를 기다리고

공부를 하다가도
아프다는 말 한마디면
모든걸 제쳐두고
달려가기도 했다

조금이라도 같이 더 있고싶어
학원에 늦게 가기도 했고

뭐라도 더 먹었으면
좋겠다는 마음에
계속 뭘 사주기도 했다

좋은 말들만
가득 해주고 싶었고

힘들어할 때는
항상 곁에 있어주고 싶었다

우리는 서로를 사랑했다

그래 적당히 사랑하는 법을 몰라
미치도록 사랑했다

미워할 때는 있어도
싫어할 때는 없을만큼

사랑했고

사랑하고

사랑하니까

그래 우리는 헤어졌다

미치도록 누구보다도
서로를 사랑하던 우리는
그렇게 헤어졌다

책을 마무리 하며…

안녕 아마 내가 이걸 쓴 이유는
처음이었기 때문일거야

뭐 대충 짐작했겠지

항상 너에게 말했으니까
처음이었다고

너처럼 순수한 사람은
너처럼 모든걸 이해해부는 사람은

그래서 더 믿었어
그래서 더 의지했어

네가 기대라는 그 말에
기대면 안될걸 알면서도
너에게 기댔어

네가 믿어달라는 그 말에
믿으면 안될걸 알면서도
너를 믿었어

길게 말 안하고 딱 한마디만 할게

사랑했어

과거형이야 이제

너에게서 벗어나보려고

네가 이걸 읽고
내가 얼마나 너에게 진심이었는지
내가 얼마나 너를 사랑했는지

조금은 알게되길 바래

그리고 조금은 후회하길 바래

지금은 아무 생각 안들겠지만
지금은 아무런 후회도 없겠지만

나중에 가서 조금이라도
나만큼만 후회하기를 바래